Écrit par Christine Lazier
illustré par Claude et Denise Millet

Conseil pédagogique :
Équipe du bureau de l'Association Générale
des Instituteurs et Institutrices des Écoles
et Classes Maternelles Publiques.

Conseil éditorial :
Pierre Pfeffer
directeur de recherche au C.N.R.S.
Muséum National d'Histoire Naturelle.

ISBN: 2-07-039743-2
© Éditions Gallimard, 1986
1ᵉʳ dépôt légal: Avril 1986
Dépôt légal: Novembre 1990. Numéro d'édition: 50956
Imprimé à la Editoriale Libraria en Italie.

Veau, vache, taureau, zébu...

DECOUVERTE BENJAMIN

La vache que tu vois dans
les prés a l'air bien tranquille.
Pourtant, **son ancêtre l'aurochs
était un animal farouche !**
Les hommes
préhistoriques,
le chassaient
avec, comme armes,
des silex taillés.
Ils mangeaient
sa viande

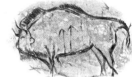

Ce dessin de Lascaux
date d'au moins
15000 ans !

et la moelle de ses os.
Ils peignaient aussi son image,
sur les murs des cavernes.
Dans la grotte de Lascaux, en Dordogne,
on a retrouvé de magnifiques peintures
d'aurochs ! Il y a plus de six mille ans,
l'homme a commencé à apprivoiser
l'aurochs pour le garder
près de lui : il l'a domestiqué.

**La vache écossaise
ressemble à l'aurochs !**

Regarde cette vache ! Sa queue et ses oreilles mobiles sont pratiques pour chasser les mouches. Sur la tête, elle a deux cornes qui ne tombent jamais ! La vache qui n'a pas encore eu de veau s'appelle une génisse.

Au début, le veau n'a que deux petites bosses à la place des cornes !

La vache porte son petit neuf mois dans son ventre. Dès la naissance, ses mamelles, les pis, se remplissent de lait pour nourrir le veau : la vache est un mammifère. Elle a un petit chaque année.

Le taureau est le père du veau.

La vache mange de l'herbe, mais aussi des céréales,
des betteraves, du soja...

L'été, la vache vit dehors.
**Elle mange beaucoup d'herbe :
près de soixante kilos par jour !**

Si elle mange des glands, des feuilles de chêne, des fougères,
des colchiques, des baies d'if ou du colza, elle peut mourir.

Elle arrache les touffes en les enroulant
autour de sa langue, puis en les coinçant
entre ses lèvres. Plusieurs fois
par jour, elle se couche pour ruminer,
en remuant les mâchoires : elle remâche
l'herbe qu'elle a mangée pour l'imprégner
de salive, et mieux la digérer. Comment
connaît-on l'âge d'une vache ?
En observant l'usure des dents !

La vache a besoin
de lécher
la pierre à sel.

L'herbe passe dans quatre estomacs.

<u>L'hiver les vaches restent à l'étable.</u>
Autrefois celle-ci était toute proche
de la maison des fermiers, qui
profitaient de la chaleur dégagée
par les animaux pour se chauffer.
Aujourd'hui, les vaches vivent dans
de grandes étables modernes, ou dans
des hangars qui s'ouvrent sur les prés.
<u>Matin et soir, les vaches sont traites</u>
pour donner leur lait. La fermière
le faisait jadis à la main.

Maintenant on utilise des machines modernes, qui traient les vaches en cinq minutes ! Si la traite tarde trop, les bêtes se mettent toutes à beugler, ou à mugir d'impatience : cela fait beaucoup de bruit !

Chaque jour,
une vache peut donner
20 à 30 litres de lait.

Le berger monte avec son troupeau dans la montagne, pour passer l'été. Là-haut, l'herbe est plus belle !

Les vaches sont très organisées !

Chaque troupeau a un chef,
qui s'est imposé en se battant avec
les autres : c'est souvent la plus forte
et la plus vieille. Chaque vache
a son rang, jusqu'à la plus faible
qui doit obéir à toutes les autres !

Tu peux encore voir une charrette tirée par des bœufs dans certaines régions de France, comme l'Ardèche.

Voici, en Chine, des bœufs attelés à une charrue pour retourner la terre.

Aux Antilles, ils tirent parfois les charrettes chargées de canne à sucre jusqu'à la sucrerie.

Les bœufs au travail

Les bœufs sont des taureaux
qui ont été opérés à l'âge d'un an :
ils ne peuvent pas être pères
d'un petit veau. Leur caractère
est plus calme. Depuis très longtemps,
ils aident les hommes pour les travaux
des champs. Mais aujourd'hui, souvent,
le tracteur les remplace !
Les bœufs sont dressés quand ils ont
deux ans.

Souvent, le fermier
les attèle deux par deux
avec un joug
posé sur leurs épaules.

Le fermier leur apprend à tirer la charrue
d'un pas régulier pour labourer la terre
et à conduire les charrettes remplies
de foin. Les bœufs
peuvent
travailler
dix heures
par jour
sans s'arrêter !

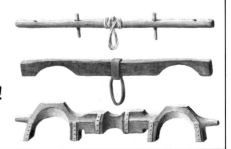

Jougs d'autrefois.

En Europe, les vaches et les bœufs
sont élevés pour leur bon lait
ou pour leur viande savoureuse,
selon leur race.

Kerry (Irlande)

Jersiaise (Jersey)

Simmental (Suisse)

German Yellow (Allemagne)

West Highland (Ecosse)

Aberdeen Angus (Ecosse)

Finn Cattle (Finlande)

Normande (France)

Meuse Rein Igssel (Hollande)

Pie noire Bretonne (France)

Hereford (Angleterre)

Charolais (France)

Une peau non traitée

Une peau tannée

Avec quoi sont faites tes chaussures ?

Avec la peau des vaches.
Depuis des millénaires l'homme utilise
ainsi la peau de ces animaux
pour fabriquer des vêtements
et des objets de cuir de toutes sortes :
sandales, ceintures, valises...

Comment prépare-t-on le cuir ?

En enlevant d'abord la première couche
de peau qui porte les poils : on obtient
la fleur du cuir. Puis il faut gratter
les restes de viande et de graisse :
c'est le tannage.

Le cuir naturel
est beige clair.
Il peut être teint
ensuite de toutes
les couleurs.

Le lait que nous donnent les vaches est indispensable à la santé !

Il fortifie tes os et tes dents grâce à son calcium, il te donne de l'énergie et de la force grâce à ses vitamines et ses matières grasses. Le lait se boit et se mange sous forme de fromages ou de yaourts…

Qu'appelle-t-on viande de bœuf ?

La viande qui vient des vaches, des bœufs ou des jeunes taureaux. Tout dans le bœuf se mange, sauf le bas des pieds ! La viande t'apporte des protéines pour développer tes muscles.

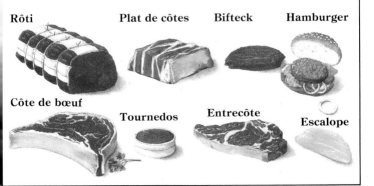

Rôti Plat de côtes Bifteck Hamburger

Côte de bœuf Tournedos Entrecôte Escalope

Au pays des cow-boys

Aux Etats-Unis,
des vaches vivent
presque libres
en immenses
troupeaux
dans les ranches.

Les bêtes sont marquées avec un fer brûlant qui porte le signe de leur ranch.

Les cow-boys
les surveillent du haut
de leurs chevaux, et rattrapent
au lasso les bêtes qui s'éloignent :
elles sont plus vives et aventureuses
que les vaches de nos pays !

Les rois du rodéo

Au cours d'une fête, les cow-boys
essaient de tenir le plus longtemps
possible sur le dos
d'une vache.
Mais d'habitude,
ils tombent par terre
au bout de quelques
secondes !

Le yack ne craint pas l'altitude !

Les poils de yack sont filés.

Grâce à ses longs poils, il supporte le froid des hauts plateaux d'Asie Centrale, où habitent les Tibétains. Il leur apporte

tout ce qu'il faut pour vivre ! Les Tibétains boivent son lait, mangent sa viande, fabriquent des courroies avec son cuir, des cordes avec ses poils, qu'ils tressent aussi en bracelets, avec des fils d'argent. Les yacks grimpent sans fatigue dans la montagne, chargés de lourds paquets.

Les Tibétains se chauffent en faisant brûler des bouses de yack séchées.

<u>Pourquoi appelle-t-on le buffle d'Asie buffle d'eau ?</u> Parce qu'il a l'habitude de se plonger jusqu'au cou dans l'eau. Il est facilement domestiqué grâce à son caractère très doux. Lui seul peut travailler dans les rizières.

Le buffle d'Afrique martèle le sol avec ses sabots lorsqu'il est en colère !

**Le buffle d'Afrique
aime se rouler dans la boue.**

Le **buffle d'Afrique** mène une vie sauvage dans la savane. Il est puissant et agile, et peut être dangereux lorsqu'il est blessé ! Ses seuls ennemis sont le lion et l'homme.

Le **zébu** a été élevé par les hommes depuis plus de 5000 ans !
Il vit dans les pays chauds d'Afrique et d'Asie.
L'énorme bosse qu'il a sur le dos est faite de muscles et de graisse : elle lui sert de réserve de nourriture.
Certains zébus ont des cornes de plus d'un mètre de long !

Le zébu

En été, les mâles se battent pour conquérir les femelles.

Autrefois, d'immenses troupeaux de bisons parcouraient les plaines d'Amérique du Nord. Ces animaux agiles et énormes étaient nécessaires à la vie des Indiens qui les chassaient pour leur viande, leur graisse, leur fourrure, leur peau...

Mais les Blancs sont arrivés, et ils
ont occupé les territoires des Indiens.
Avec les trains, ils poursuivaient
plus facilement les bisons,
qui furent massacrés.
Il n'en reste plus
que quelques
milliers,
dans des réserves.
En Europe aussi,
il y avait des bisons,
moins gros et plus paisibles.
Ils vivaient dans les forêts,
et ne se déplaçaient pas.
Quelques-uns vivent encore en Pologne.

Bison d'Europe

Le **kouri**
est un bœuf
d'Afrique.
Ses énormes cornes
sont remplies d'air.

**Des huttes
faites de bouses
de vaches séchées :**
c'est ainsi que les Masaïs en Afrique
construisent leurs maisons !
Quand le soleil a trop craquelé
le toit, les femmes ajoutent
une nouvelle couche de bouse.
Les vaches sont la richesse des Masaïs.
Ils ont 700 phrases pour en parler !
Ce sont les enfants Masaïs qui gardent
les troupeaux.

**Ils doivent parfois marcher loin pour trouver l'eau
et les pâturages dont les bêtes ont besoin.**

Dans la jungle d'Asie,
vit un bœuf
sauvage qui effraie
beaucoup
les hommes :
le **gaur**.
Aussi grand

Le gaur

qu'un bison, il est très agressif.
La vache la plus rapide du monde
vient d'un croisement entre un zébu
et un **banteng**.

Elle court à 70
kilomètres
à l'heure.
Elle vit en
Indonésie.

Le banteng

Le **bœuf musqué** ressemble à la fois
à un bœuf et à un mouton.
Son épaisse toison le protège si bien
du froid qu'il ne s'abrite
même pas pendant
les terribles tempêtes
du Grand Nord.

**Pendant la saison des amours,
le bœuf musqué mâle a une
odeur très forte.**

La corrida est une lutte entre
un homme, le toréador, et un taureau.
En Espagne, c'est une lutte à mort.
Les taureaux de corrida sont agressifs.

Ils sont élevés dans d'immenses
pâturages, à l'état sauvage.
Dans un pré, méfie-toi
aussi du taureau !

Apis

Des taureaux et des dieux

Dans l'ancienne Egypte,
le taureau sacré Apis était adoré
comme un dieu.

Après sa mort, il était momifié,
puis on cherchait un autre
taureau pour le remplacer
dans le temple.

Peinture crétoise

Les Grecs et les Crétois
représentaient souvent les dieux
sur des taureaux, symboles
de puissance et de force.

Aujourd'hui encore,
les vaches et les bœufs
sont ornés de fleurs
et fêtés lorsqu'ils
redescendent
dans la vallée, après
les longs mois passés
dans la montagne !

En Inde, toutes les vaches sont sacrées !

Elles se promènent librement dans les rues, et ne sont jamais maltraitées ni mangées. Il y a même des hôpitaux spéciaux pour les soigner ! Dans les temples, certains taureaux sont sacrés. Ils ont sur l'épaule une marque au fer rouge en forme de trident.

Façons de parler !
S'il souffle **un vent à décorner
les bœufs** c'est une vraie tempête.

Celui qui **travaille comme un bœuf**
travaille énormément !
Quelqu'un de **vache**
n'est pas très gentil. S'il **mange
de la vache enragée,** il traverse
vraiment une mauvaise période.

Qui vole un œuf vole un bœuf, dit-on.
Et si tu mets tes chaussures
avant tes chaussettes,
tu **mets la charrue
avant les bœufs** !

On ne mène pas la vache
A la verdure rase et sèche,
A la verdure sans caresses.
L'herbe qui la reçoit
Doit être douce comme un fil de soie
Un fil de soie doux comme un fil de lait.
Mère ignorée,
Pour les enfants, ce n'est pas le déjeuner
Mais le lait sur l'herbe
L'herbe devant la vache,
L'enfant devant le lait.

Poésies 1913-1926
Paul Eluard
Livre d'or des poètes
Seghers